Abre y cierra su abanico
la luna muy despacito:
blanco,
blanquito.

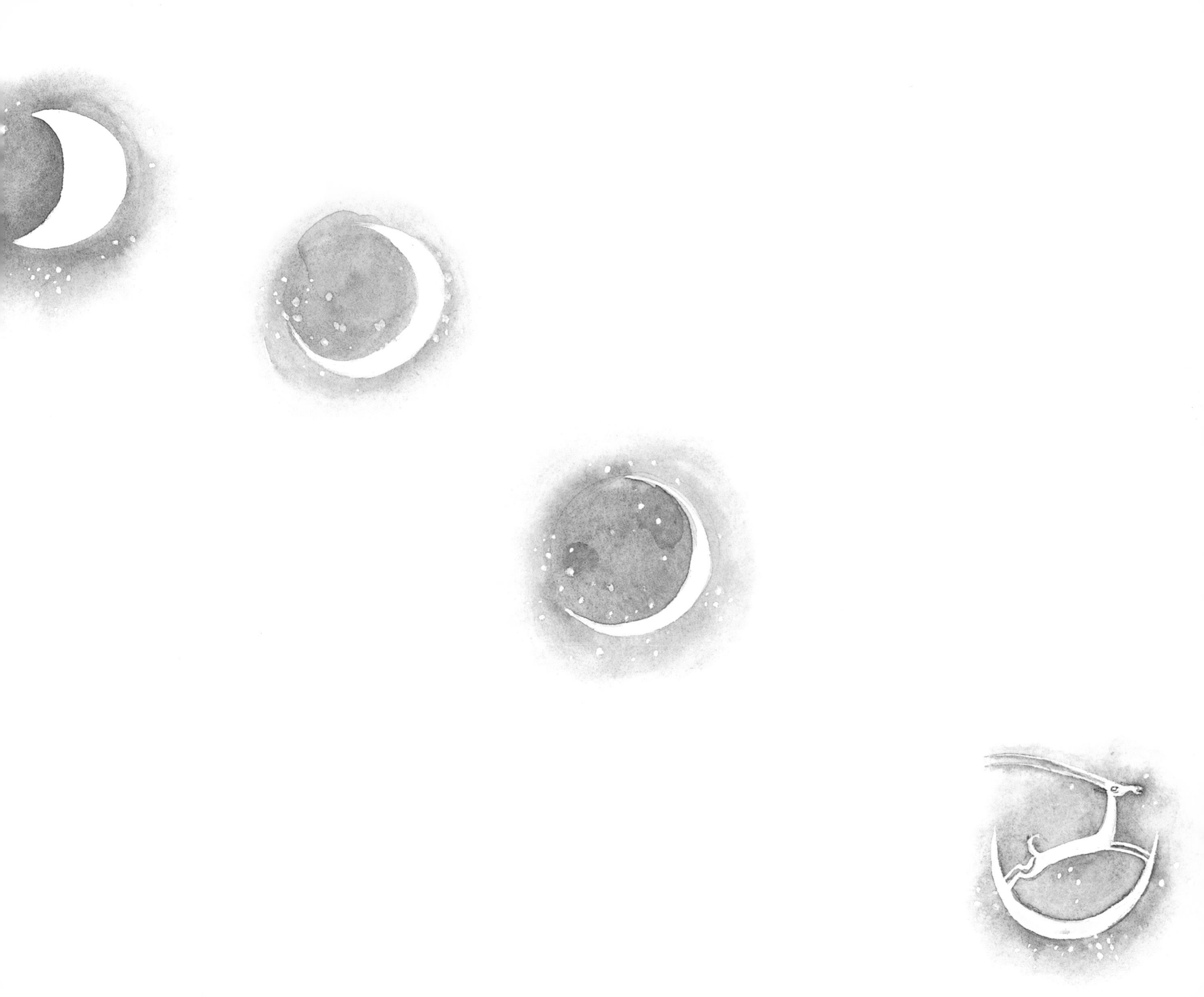

La noche se ha puesto
su vestido **negro**
para que luzcan más bellos
los ojos del universo.

Para Didí y Mónica, por la alegría de los
días compartidos.
Jorge

En memoria de Adrián, que sabía tanto
acerca de los colores.
Piet

¡Oh, los colores!

Jorge Luján • Piet Grobler

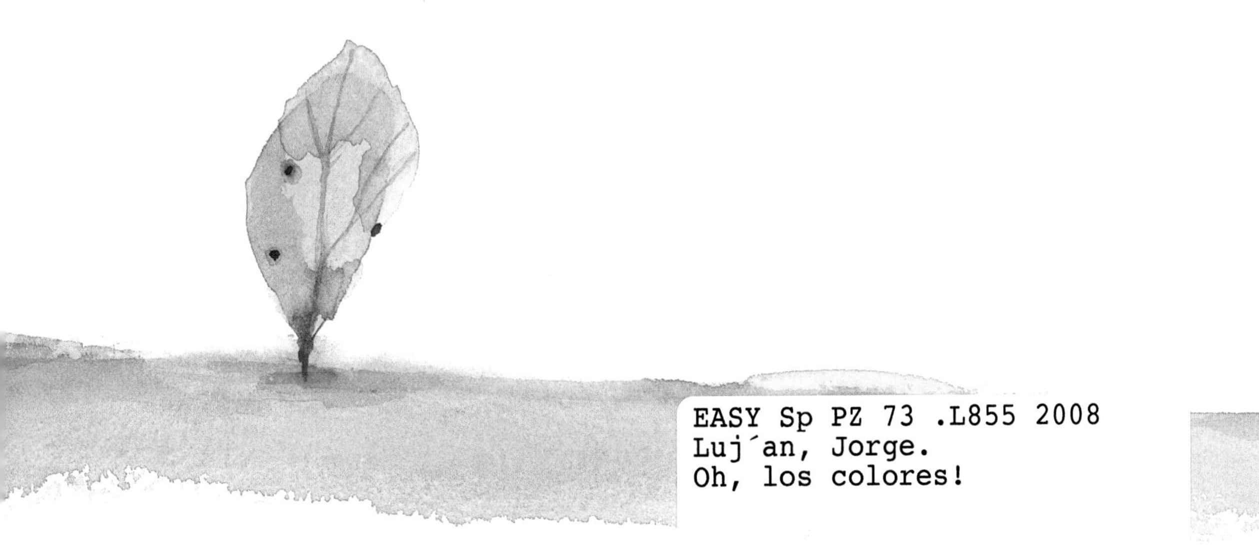

El **marrón**
es un coco a la deriva,
o una roca
con un venadito encima.

En una pequeña semilla
cabe todo el **verde**,
cabe el trébol, cabe la ceiba,
cabe la selva entera.

El **beige**
se durmió en la arena
de tanto que lo arrulla
la marea.

Una brasa encendida
se posa sobre el olmo.
¿Quién canta?
El **rojo**.

El
amarillo
rueda
por
el
cielo
como una
moneda
de
oro
tibio.

El **azul**
está todo arriba,
salvo en unas flores
y en los ojos de María.

Ay, **naranja,**
–pequeño sol del huerto–,
dirán que te he comido
y será cierto.

Vio un lago.
Vio una flor.
Vio el ocaso.
¡**Violeta**!

El color **rosa**,
lo mismo que las rosas,
perfuma
hasta las más pequeñas cosas.

¡Oh, los colores!
Textos: Jorge Luján • Ilustraciones: Piet Grobler

Colección **Los imprescindibles**
Primera edición: 2008
ISBN: 978-987-602-091-6 (Cartoné)
ISBN: 978-987-602-097-8 (Rústica)
comunicarte
Ituzaingó 167 - 7º Piso - (X 5000 IJC) Córdoba - Argentina - Tel/fax: (54) (531) 426-4430
editorial@comunicarteweb.com.ar - www.comunicarteweb.com.ar

Dirección editorial: Karina Fraccarolli Nou
Dirección de colección: Alicia Salvi
Arte y producción: Marcelo De Monte

Se terminó de imprimir en Buenos Aires a 24 días del mes de julio de 2008.
Queda hecho el depósito que establece la Ley 11.723.
Impreso en Argentina - *Printed in Argentina*

Luján, Jorge Elías
¡Oh, los colores! / Jorge Elías Luján ; ilustrado por Piet Grobler - 1a ed. - Córdoba : Comunic-Arte, 2008.
32 p. : il. ; 21x27 cm. (Los imprescindibles dirigida por Alicia Salvi)

ISBN 978-987-602-091-6 (cartoné)
ISBN 978-987-602-097-8 (rústica)

1. Literatura infantil y juvenil argentina. I. Grobler, Piet, ilus. II. Título
CDD 868 A

Jorge Luján nació en Córdoba, Argentina, y vive en la Ciudad de México. Su obra poética y narrativa ha sido ilustrada por talentosos artistas de todo el mundo.

Jorge se graduó de arquitecto y estudió Composición Musical y Cinematografía en la Universidad de Córdoba y fue uno de los fundadores del movimiento cultural Canto Popular.

Ante el golpe militar de 1976, emigró a México, donde se licenció en Lengua y Letras Hispánicas en la UNAM. Actualmente escribe, canta y da cursos en una Maestría de Creación Literaria.

Entre otros reconocimientos ha recibido el **Premio al Arte Editorial 2005** junto a Mandana Sadat por *Tarde de invierno* otorgado por la Cámara de la Industria Editorial Mexicana y el **Premio de Poesía para Niños 1995**, otorgado por ALIJA (Sección Argentina de IBBY).

Piet Grobler nació en Sudáfrica. Estudió teología, periodismo y diseño gráfico. Ha ilustrado más de 60 libros, la mayoría para niños, y su trabajo se ha publicado en inglés, italiano, holandés y alemán. Actualmente imparte talleres de ilustración para niños y ha participado en varias exposiciones individuales y colectivas tanto de pintura como de ilustración.

Ha sido merecedor de varias distinciones por su trabajo, entre ellas dos medallas en el **Concurso Noma** (Japón), el **Octogone de Chêne** (Francia) y la medalla de **Tienie Holloway**. Además de una placa en la Bienal de Ilustración de Bratislava.

En su obra con frecuencia aparecen ángeles porque con ellos le gusta acercar la tierra al cielo.

Fue postulado al **Premio Hans Christian Andersen** en el año 2007.